多多 什么 都 爱吃

文／图 颜薏芬

南京师范大学出版社

5-6

：多吃青菜，青菜很有营养喔！

 多多什么都爱吃，给多多！

吃点胡萝卜吧，对你的眼睛好。

多多什么都爱吃，给多多！

：来来来，喝点豆腐汤。

 多多什么都爱吃，给多多！

 如果什么都叫多多帮你吃，
多多也会帮你长高、长大，
你就长不大啦！

想想看，让多多长大，也没什么不好啊？

等多多长大一点，
隔壁阿美和她的哈利就神气不起来了。

快迟到的时候，我可以骑着多多去学校。

多多还可以帮我吓跑讨厌的男生。

赛跑的时候，
我一定会赢。

不过呢，如果多多一直长个不停，
就不能睡它的小床了……

洗澡可能要洗一天。

而且一定
吃得比现在**多得多**!

万一多多长成
全世界最大的狗，
有人就会抓它去展览。

想来想去，我还是喜欢多多现在的样子。

好吧，我自己来吃一些青菜看看吧！

多多什么都爱吃

曹俊彦（资深画家、儿童美术教育工作者）

当我们还是小朋友的时候，我们吃饭时也常常挑嘴。不是吗？我们觉得青菜有怪味，吃鱼总是因为有刺嫌麻烦……是从什么时候开始，我们才喜欢妈妈的红烧茄子；什么时候那些以前不爱吃的东西，慢慢变成我们餐桌上常见的食物了？

是啊，营养均衡很重要，但换个轻松的角度来看问题，是不是我们对孩子的偏食可以宽容一些？用有趣的方式来讨论这个问题，是不是可以让孩子更容易获得正确的认识？这也许就是故事作者写作的出发点。

看到图画书的书名，我们可能以为多多是一个贪吃的小孩，静心地读下去才知道，多多原来是一只小狗的名字。请注意这里隐含了作者的良苦用心；让孩子常常听到"什么都爱吃"这句话，用正面的说法鼓励孩子不偏食，比用消极的批评方式能产生更好的效果。是的，故事的前半部分巧妙地采用了对话的方式展开情节。当妈妈的总是在提醒孩子，这样东西很有营养，那样食物对健康有好处；孩子却总是在婉言拒绝，她的办法是说"多多什么都爱吃"，这样就把不想吃的东西都丢给小狗多多了。这样的矛盾怎样解决呢？聪明的妈妈技高一筹："什么都叫多多帮你吃，多多也会替你长大喔！"故事的情节就在妈妈的这一句话之后转变。它使孩子展开了一连串丰富的联想：先想到多多变大了的话，真是好处多多；但是当多多变得太大的时候，许多麻烦也就跟着来了。不是吗？孩子终于觉得还是自己吃了那些食物比较好。

和小朋友一起欣赏这本书时，我们可以不必强调书中"偏食"的主题，不过，讲故事时把孩子比较熟悉的事物或孩子最近接触到的食物名称替换进去，却有增加趣味的效果。而故事中小狗变大的好处和坏处是一个话题，值得鼓励小朋友扩展自己的想象，用自己的经验来续编故事，增加创造性阅读的趣味。

值得我们注意的是，作者配合故事情节，以轻松的色彩和自由奔放的蜡笔线，加上类似漫画的造型，给小读者提供了宽松自然的故事情境。画面开始于一幅用餐的生活小图，貌似平淡却营造了亲和温暖的家庭气息。当故事情节进入孩子的联想时，画面便随着小狗多多的长大而渐渐变大：从单页图到跨页图，直到用特别的展开折页来展现四页合成的一个超大画面的狗，充分表现了孩子的想象并将故事推向高潮。这么好玩的设计，一定会引起孩子的兴趣，请在讲故事的时候善加运用！

多多什么都爱吃

◆ 活动目标：

1. 注意阅读画面内容并发现画面中的前后变化。

2. 通过阅读图画书，推测故事中妈妈和小姑娘的对话内容。

3. 想像并用自己的语言表达对故事内容的理解。

◆ 活动准备：

图画书人手一本。

◆ 活动过程：

1. 指导幼儿按顺序阅读图画书1至9页，提示幼儿思考每一页上是谁在说话。

2. 成人用不同的声音来朗读妈妈和小姑娘说的话，让幼儿明白故事是通过妈妈和小姑娘的对话发展的。重点突出反复出现的语言，如"多多什么都爱吃，给多多。"可有意放慢语速，让幼儿跟读，这样有利于幼儿自然地进入故事情境，把握故事发展的顺序。

3. 与幼儿讨论："假如食物都让多多吃了，多多长得很大很大，会怎么样呢？"引导幼儿思考小狗多多长大带来的后果，鼓励幼儿从不同的方面进行想像并交流自己的想法。

4. 与幼儿一起阅读图画书后半部分的内容。在阅读到最大的那幅插画时，让幼儿充分地感受和想象。

5. 阅读结束后与幼儿讨论：小姑娘想象多多长大了会给她带来哪些好处、哪些麻烦？最后小姑娘又是怎样想和怎么做的呢？这些和你的想法一样吗？怎样才能让自己长高长大呢？

《多多什么都爱吃》小剧场

◆ 活动目标：

1. 通过表演加深对图画书内容的理解和体验。

2. 学习用表演的方式表现图画书中的人物性格特点。

◆ 活动准备：

参考［附］自制指偶：妈妈、小姑娘、小狗。

◆ 活动过程：

1. 与幼儿一起回忆故事《多多什么都爱吃》。

2. 成人拿着纸偶，扮演故事中的妈妈，让幼儿扮演小姑娘。在表演中，除了要注意表现妈妈与小姑娘的对话外，还要引导幼儿通过动作、神态来表现小姑娘的心理活动。

3. 熟悉故事表演程序后，让幼儿试着把代表故事中不同角色的指偶套在手指上，自己比划着进行表演，或者与同伴合作进行表演。

4. 鼓励幼儿在表演时发挥自己的想像力，把自己对故事的理解与想像添加到表演中，还可以将自己吃饭的经验也反映到表演游戏中去。

［附］ 制作的各种指偶范例

吃饭的时间到了

皮皮的肚子饿了，这里有好多好吃的东西，请你告诉皮皮，吃哪些东西才能让自己身体健康呢？